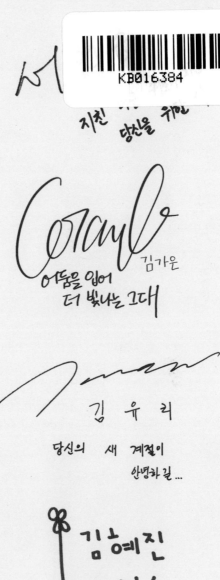

지친 당신을 위로

김가온

어둠을 입어
더 빛나는 그대

김유리

당신의 새 계절이
안녕하길...

김예진

피어나도 좋은 날

나는 길을 걷고

사랑을 잃었다

나는 길을 걷고

사랑을 잃었다

서현종

『 그리움의 모양 』

흘러가는 대로 살다보니
서울에 있는 어느 초등학교에서 학생들을 가르치고 있습니다.
틈틈이 남는 시간에 시를 하나 둘 담고 있습니다.
무너져 내린 나를 다시 정립할 수 있도록 기회를 주었던 것은
어느 시인의 작은 시집이었습니다.
누군가에게도 내가 받았던 그런 위로를 줄 수 있는
시인이 되고 싶습니다.
시를 쓰고 영상에 담습니다.

email   bingru8583@gmail.com
instagram   @poem_4.u, @seohyunbell
youtube   '비주얼포엠'

김가은

『 인人과 생生 』

변화를 싫어하는 프로 편입생입니다.
어릴 적부터 숱한 전학과 편입을 경험하며
새 친구 사귀는 건 꺼리지만 이사는 은근히 기대하는,
유명하다는 문학 서적에는 거리감을 느끼지만
아마추어 에세이는 즐겨 읽는 모순덩어리이기도 하지요.
간호학과 2년, 커뮤니케이션학과와 공연영상학과에서 2년을
수학한 문·이과 혼합형 인간으로,
다양한 사람들과 환경 사이
미묘한 간극을 사색하는 것을 좋아합니다.

email   cockroach0212@naver.com
instagram   @soon_zero_02

김유리

『 새 계절의 문 앞에서 』

시들은 부끄러움이 많아
늘 작은 공간으로 숨어 들어간다
서점의 불빛걸음이 느린 구석진 공간
더 낮게 앉아 시를 읽는다
시 안에 머무르는 그 시간,
시를 읽을 때는
작아져야 한다
그래야 큰 것들이 속으로 들어와
줄곧 스며들 수 있다
어느 해던가
입바른 소리로 동무를 잃고
세상의 눈이 달라 외면 받던 시인은
가슴에 차가운 얼음 꽃을 안고 산다고 했다
일부러 찾아와 머리를 낮춰야 보이는
시인들이 만든 세상엔
일부러 눈을 뜨지 않으면 보이지 않는
바가지로 담을 만큼의
지나간 세월이 한 움큼 살아있다

김혜진

『 분실글 보관소 』

여름의 어디쯤
달이 밝고 바다가 고여 오릅니다
사랑은 자주 울며 빛이 무성합니다
견딜 수 없기에 뭉툭한 마음으로
밑줄을 그었습니다
내가 되었습니다

서현종

『 그리움의 모양 』

길을 걷다 문득
밀려오는 생각들이
바다를 이뤄 굽이굽이 파도친다
파도를 건져내어
언어의 틀 안에 맞춰
시로 엮었다
이것은 그리움에 대한 이야기다
어제는 추억이었고
오늘은 그리움이 되어
내일은 많이 보고 싶을
그런 것들
바로 그런 것들에 대한 이야기다

2021. 여름 서현종

당신을 위한 시

달보드레 케이크 한 입
커피 한 모금
나의 시가 이와 같을 수 있을까요

새하얀 모래
그 위에 써보는 당신의 이름
당신의 눈동자, 당신의 기억

시커먼 바위
부딪치는 파도처럼
부서진 감정의 파편들
양껏 모아 시로 엮는다면

폭신한 이불같이
보드랍게
당신 덮어줄 수 있을까요

추운 겨울 얼어버린 두 손을
터질 것 같이 벌게진 양 볼로

호-호-
입김 불 듯
그렇게 써 내려 가다 보면
당신 마음
따스히 데워줄 수 있을까요

나의 시가
시나브로
당신 마음에
녹아들 수 있을까요

그런걸요

마음이
마음을 부르는걸요
사랑이
사랑을 부르는걸요

바람이 떠나가는 구름 붙잡듯
사람이 사람을 붙잡고
지나간 시절들이 기억을 붙잡듯
생각이 생각을 붙잡는걸요

그대
아나요

엉킨 실타래 풀 듯
지난 기억 풀어내다 보면

그대 생각에
잠 못 들었던 밤
떠올라서
미소 짓겠죠

이유

꽃이 피는 건
그 사람이 정말로 행복했기 때문이래요

비가 내리는 건
누군가를 너무나 사랑했기 때문이래요

바람이 부는 건
미처 전하지 못한 말이 있기 때문이고요

눈이 내리는 건
당신을 오래도록 기다렸기 때문이래요

쌓이고 쌓여
당신 돌아올 때
새하얀 눈길 밟을 수 있도록

소나기

그때
그대
왜 나 대신 비를 맞은 건가요

빈자리

민서야 지우야
얘들아
놀자

다들 어디로 갔지?

정민아 대현아
얘들아
공부하자

다들
어디로 간 거지?

책상
의자
교실 뒤 시계
모두 다 그대론데

정작 너희들이 없구나

나를 사랑하지 않는 당신에게

처음, 사랑은
봄날에 핀 꽃과 같아서
서툴렀고

두 번째, 사랑은
여름밤의 별들처럼
갈수록 깊어졌습니다

세 번째, 우리는
더 이상 낙엽을 세지 않았고
떨어진 그것이 사랑임을 알았을 때
마음이 동이나 버렸습니다

동나버린 마음에
이제 사랑은 추억이 되어
선반 깊숙이 놓여있는 오래된 사진첩처럼
누군가의 손길을 기다리고 있는지도 모를 일입니다

겨울이 되고서야 당신에게 편지를 씁니다

따스했던 어느 봄날의 오후
라일락 아름드리 피운 동산에서
당신에게 속삭였던 말들을 기억합니다

다가올 언제가, 하얀 성에서
순백의 옷을 입고
서로에게 연분홍 화관을 씌워주자던

그 약속들은 도대체
어디로 사라져 버린 것일까요?

이제는 희미한 창 너머로
내리는 눈을 바라보면서
떠올리기도 벅찬 당신을
눈길 위에 포개어 봅니다

나를 사랑하지 않는 당신에게-

알게 된 것들

기다림보다
지치는 건
반복되는 일상이었습니다

첫 만남의 설렘보다
가벼운 건
이별의 한마디였고

잊는 것보다
괴로운 건
잊혀지는 것이었습니다

당신이란 사람을 보내고
긴 장마가 눈물을 가릴 때
비로소 우리의 사랑이
끝이 났음을 알게 되었습니다

지나고 보니
헤어짐보다
슬픈 것은
그리움이었습니다

빈 잔

당연하게도
빈 잔엔
남겨진 향이 가득하다

나는 빈 잔이고

너는

남겨진 것들

문득 그런 생각이 들었다
오늘 현관을 나서는 내가
영원히 다시 돌아오지 못한다면
무엇이 남을까

먹다 남은 식은밥과
반쯤 접히다 만 양말 몇 켤레
구겨진 채 방안을 굴러다니는
관리비 납부 고지서

애초에 나라는 존재는
남겨질 수 있는 것일까

그리 생각하니
당신이 떠올랐다

떠난 당신의 자리엔
당신의 존재 없이
식어버린 당신의 온기와
당신의 부재함이 남아있다

당신의 향기와
아픈 상처
모진 계절만이 남았고
수많은 갈등과 끝없이 늘어진 시간
못다 한 그리움으로
남겨진 것들만이 표류하는 중이다

흙

내 안은
조금 어두울 수도 있어요
가끔은
조금 답답할 수도 있어요
그래도 괜찮다면
내 안에 들어오길 바라요

세상이 모질게
짓밟는다 하여도
그대 덮어 감싸 안는
이불 되어줄게요

시린 겨울
당신 대신 얼고
무더운 여름 뙤약볕 아래
당신 가리는 그늘 될게요

그러니 그대

내 안에
싹을 틔워
뿌리를 내려
그 작은 손으로
나를 움켜 쥐길 바라요
놓지 않기를 바라요

비가 오나 눈이 오나
서로를 붙들고
함께 꽃 피우길 바라요

겨울이 되고서야 당신에게 할 수 있는 말

그때 우리는 봄이었습니다

봄을 기다리며

창가에 앉아
꿈꾸는
아름다운 계절의
황홀한 복수

차갑게 식어버린 땅을
따뜻하게 데워줄
초록의 왕관과
연분홍 샹들리에

분명
그것을
그리워하고 있어요

맨드라미 애가

민들레 홀씨 바람에 나부끼듯
홀연히 그렇게 가실랑
시작이라도 마시던지

나의 마음 한적한 물가에
자그마한 파동
일렁이게 만들어 놓고

어느새 사라진 가을밤의 끝자락
귀뚜라미 울음처럼
아무도 모르게 그렇게 떠나가실랑

그대 왜 내게 오시고
그대 왜 나를 사랑했던 것인가요

회상

그 시절
나의 시간은

거꾸로 지나간 계절을
그리워하는 중이었다

끝없는 지평선의 추락과
여전히 가난한
나의 주머니

그것이
젊은 날의 단상이었다

나무의 편지

바람결에 흔들리는 잎들 사이로
떠나가는 여름을 붙잡으려 하다 보면

밭일 끝내신 할머니 어느새 다가와
이마에 맺힌 땀방울 바람에 실어 보내며
부드럽게 말씀하셨다

나무가 바다를 그리워하는 소리란다

그 말에
나무의 소리에 조용히 귀를 기울였고

수천 개의 가지와
수만 개의 나뭇잎들은
바다에게 전해주고 싶은 이야기를
바람에게 속삭이고 있었다

그해 봄
떠나가신 할아버지 마지막 순간에
그의 귓불에 사랑한다고 속삭이던 할머니처럼

손목시계

네가 떠나고
거짓말같이
차고 있던 손목시계가 멈춰버렸다

4시 16분
시침과 분침은
더 이상의 미동도 없다

약이 다 닳아서였을까
네가 너무 소중한 존재여서 그랬던 것일까

4시 16분
너는 나를 떠났고
손목엔
남겨진 시간만이
아직도 가라앉는 중이다

열매

나는 묶여있습니다
이렇게나 오래도록 말입니다

씨를 품는 것 말고
아무것도 할 수 없음에
몸서리치면서
목놓아 울고만 있습니다

나의 울부짖음이
그대에게 닿을 때 즈음
나의 몸은 시뻘겋게 뒤덮인 채
싱그러이 익어가겠죠

그래도 한 번쯤은 기억해주세요
그때의 나 또한 푸르렀다는 걸
마음속에 하늘을 간절히 품었다는 걸

장미

알고 있어요
나를 사랑하는 것 정도는
그래도 내 안은
계속 가시가 돋아요

이런 내 가시마저
품을 수 있나요

그대가 나를 강하게 품을수록
나는 아프고 그대는 피 흘리겠죠
뜨겁게 흘린 그 피로
그대 안에 뿌리 내려
꽃 피울 수 있나요

그렇다면 나의 꽃잎 또한
당신의 색으로 물들겠죠

뿌리부터 흠뻑
진하게

잔잔히
붉게

빨래집게

그것은
너무도 큰 집착이었다

잠시 머무르다 갈 걸 알면서도
도저히 놓을 수 없어

억지로 뱉어내야 하는
짝사랑 같은 것이었다

떠나간 그것에
미련이 남아

이까지 닳을 정도로
다물게 되는
그런 것이었다

빨대

아마
끝까지 몰랐을 것이다

너를 머금은 것은

네가 아닌
다른 존재를 갈망했다는 것을

영원히

별

별을 지어다
밥을 먹기로 했습니다

흐르는 은하수에
여러 번 헹궈내다 보면
별빛이 반짝반짝
제법 윤기가 돕니다

깨끗이 씻어낸 별을
밤하늘에 충분히 불리고
뜨끈한 보름달 레인지에 안치면
별들의 호화糊化가 이루어집니다

이제 적당한 온도에
뜸도 들였으니
모양새 좋게 그믐달에 담아봅니다

그때 미처 전하지 못했던 말들
함께 꼬리별들에 담아보기도 합니다

별을 지어다 밥을 먹습니다

갓 지은
포슬포슬하고 따뜻한 별들을
지금
이 자리에 없는
당신과 함께

계란말이

집 나와
홀로 살다 보니
정갈하게 잘 말아진
계란말이가 그립다

비단 계란말이 뿐이랴
김이 모락모락 나는
구수한 된장국에 고기반찬
잘 차려진 밥 한 상

늦으면 늦었다고 방문 밖에서 들리는
기분 좋은 잔소리와
나갔다 들어오면
마술처럼 잘 개어져 있는 수건과
정돈된 옷가지들까지 -

오늘따라
내가 만든 계란말이는
더더욱 못생겨 보인다

서약

살기 팍팍한 때가 오더라도
서로의 바보 같은 표정을 보고
피식 웃을 수 있는 순간이 있기를 원합니다

사랑하는 그 순간에도
뜨거움보단 따뜻함으로 서로를 위할 수 있는
채움이 되기를 원합니다

각자의 믿음이 보이는 곳보다
보이지 않은 곳에서 드러나기를 원합니다

식장 안에서 함께 잡은 두 손 그대로
같은 날, 같은 시간에 세상 떠나길 원합니다.

먼 훗날
사람들에게 잊혀질 만큼
기억나지 않을 머나먼 훗날에
말할 수 있기를 원합니다

한 갈래 인연, 그 시절
아름다운 사랑을 했던 사람들이 여기 있었노라고

전하러 가는 길

심장이 터질듯한
이 떨림을
당신에게 전하러 갑니다

겨우내 얼었던 땅을
따뜻하게 적시는
봄비 같은
당신

이제는 아스라이
내게 스며들어
이미 당신에게
흠뻑 물들었습니다

흠뻑 물든 이 마음을
당신에게 전하러 갑니다

당신의 마음이
나의 마음과 같기를

파도의 사랑

더도 아닌
덜도 아닌
파도의 넘실거림으로

당신을 사랑하다
사랑하다
사랑을
하다

당신에게 나를
나를 당신에게
넘겨주다 보면

나는 당신이
당신은 내가 되어

한 점으로 시작해
사방으로 퍼지는 물결의 모양처럼
우리는 그렇게 잔잔히
파도의 사랑으로
굽이치겠죠

버려진 지하철에서

서울의 밤
마지막 시간대를
향해가는 열차는
버려진 사람들을 태우고
어두운 터널을 지난다

그날의 지치고 힘들었던 기억들로 얼룩진
조는 사람들과 술 취한 자들-
시린 형광등은
어느 이름 모를 정신병원의 병동처럼
이들을 매섭게 비추고
버려진 지하철은
알 수 없는 알코올 냄새와
매캐한 냄새로 가득하다

그들은 버려진 자들이었고
버려진 나였다

노곤함으로 절여진
버려진 지하철 안에서
낡은 시집을 꺼내어 읽는다

당신에게

그녀는 오십 평생을
전용 육십구 미터제곱의 면적에서 벗어나지 않는다
그녀는 가끔 수면 위로 호흡을 내뱉으러 나온 고래처럼
간간이 산책을 통해 짧은 호흡으로 뻐끔거릴 뿐이다

그녀만의 세상
그녀는 그렇게 그 안에 갇혀
사랑하는 이들의 마중을 나가고 배웅을 한다
그런 그녀에게도 세글자 이름이 있었다
그러나 언제부턴가 그녀의 이름은 잊혀졌고
그녀의 이름은 이제 당신이 되었다

고생 끝에 낙이 온다고 하는데
낙은커녕 당신은 고생만 하다 병에 걸리고 말았군요
어차피 어질러질 걸 알면서도
당신은 왜 그리 가지런한 신발장을 고집하셨는지요
어차피 구겨질 걸 알면서도
어찌 그리 반듯한 옷매무새를 고집하셨는지요

사랑하는 나의 어머니
아직도 베란다의 어린 묘목과 서양 난은
당신의 손길을 기다리고 있습니다

선잠

선잠을 잔 너는 꿈을 꾸었다고 말했다
나는 괜찮냐고 물었다
잘 기억나지 않지만
눈 아래 눈물 자국 어렴히 서려 있는 걸 보니
악몽인가보다 하고 무심한 듯 너는 얘기했다

그냥 지나치기엔 쉽지 않은
무엇 때문이냐고 묻기도 애매한
어설픈 두통 같은 그런 것이었다

케케묵은 감정들과
엉킨 실타래같이
헝클어진 관계들
그들 사이로 가시들이 돋아났다

그러한 너의 가시들을 나의 살로 보듬어주고 싶었다
그것들이 나의 살점을 깊숙이 파고들어도
피가 나 발목까지 내리흘러도
꽉 안아주고 싶었다

그리고 묻고 싶었다
너의 하루는 어떠했는지
사소하지만 가볍지 않은 그런 것들을
밤새도록 나누고 싶었다

그러다 다시 졸린 눈을 비비며
이미 잠들어버린 네 옆에 가만히 기대어
보석 같은 말들만 네게 속삭이다
편히 잠들고 싶었다

만일 내가

만일 내가
쌀알이라면,
입안에 가득 담겨
허기진 그댈 위한 채움으로 남고 싶습니다

만일 내가
등대라면,
길 잃은 그대 돌아오는 길
북두칠성 되어
마지막의 마지막 순간까지
그대만을 비추고 싶습니다

만일 내가
나무라면,
아름드리 느티나무 되어
따가운 볕 아래 있는 그대 위
시원한 그늘을 드리우고 싶습니다

만일 내가
바다라면,
그대 기억 속에 머무는 파도 되어
아픔과 상처 씻겨내는
위로가 되고 싶습니다

만일 내가
꽃이라면,
은은한 향 되어
그대 마음 속 한자리에 오래도록 서성이는
그리움이 되고 싶습니다

만일 내가
지금 이 순간
그대에게 한달음에 달려갈 수만 있다면
그대를 꼬옥 안고
한 줄기 빛으로 산화하여
그대 옆, 영원히 맴돌 것입니다

만일에
만일에 말입니다

그런 날

오늘따라
왠지 그냥
조금

그냥 조금
그런 날이어서

멍하니 천장만 응시한다

가끔은 그냥
조금 그럴 때가 있는
그런 날이어서

누군가가
조금만
건드려도
툭-
하고 터질 것만 같은
그런 날이어서

쏟아지려 하는 닭똥
눈꺼풀로
붙잡느라 힘든
그런 날이어서

반쯤 흐려진 천장에
시를 쓴다

끄트머리

글자와 글자 사이의 간격
활자와 용지 사이의 경계
검은 잉크와 흰 여백이 만나는 지점
그 끄트머리에
시인의 마음이 들어있다

그 속에 끊임없이 상충하는
비상과 자유낙하의 충동

시인은
부유하는 사유의 끄트머리에서
자신을 던진다

이는
글 안에서 날 수 있다 믿기에 치는
저마다의 날개짓인가

혹은
오히려 추락할 것에 치는
저마다의 몸서리인가

사물과 사물 사이의 경계
사람과 사람 사이의 간격
타인과 자아가 만나는 그 지점
그 끄트머리에
시인의 시선이 들어있다

그 모호한 경계에
끝없이 배회하는
집착과 연민을 넘어

무언가 전하고 싶은 건지도 모를 시인은

오늘도 시의 끄트머리에서
당신을 마중 나온다

김가은

『 인人과 생生 』

어젯밤 타버린 반딧불이의 마지막이
그토록 아름다웠던 건,

그 밤이
사무치게 어두웠기 때문입니다.

산다는 건

그대 너무 자만치는 말게

오만의 해가 높이 뜰수록
쉴 만한 그늘은 줄어드는 법이니

그대 너무 흥분치도 말게

벅차오는 기쁨 속
숨을 고르는 것은

죄어오는 슬픔 속
숨을 참는 것만큼 중한 것이니

한 줌의 재로 사라지는 생
한순간의 기꺼움을 바라는 인간이지마는

살다 보면 높은 산을 뛰어넘을 때도
무거운 바다에 허덕일 때도 있지 않겠나

그러니 그대,
너무 미련 두지 말게

살아간다는 건
걷어내는 시간이니

미련을 두는 것만큼
미련한 일도 없을 거야

그대의 달

어제 기대했던 오늘이
오늘 기억하는 어제보다
보잘것없어 보일지라도

이 밤을 밝히는 건 결국
오늘의 달입니다

지나간 보름달이
이 밤의 초승달을
대신할 수 없듯

오늘도 그대의 달은
지나갈 생의 순간을
묵묵히 비추었고

오늘도 그대의 달은
충분히 빛났습니다

단풍

힘써 틔운 꽃망울의 존재를
아무도 알아주지 않고

남들과 다를 바 없는 모습으로
젊음을 보낼지라도

마지막은 가장 아름다운 색으로
타올라 사그라진다

겪지 못한 겨울을 욕심내기보다
때를 위한 거름이 되길 선택하고

계절의 중간에 사라지는 생이지만
두고 갈 미련은 없다

하루살이

우리는 모두
더러운 늪지에서 알을 깨고

잠시 잠깐 불어오는
푸른 바람에 몸을 맡기다

둥근 달을 등에 업고
타오르는 전등 빛에 몸을 지질

하루살이다

불타는 노을을
고집스레 안아보아도

결국 품에 남은 건
저녁을 부르는 안개의 냄새

내일의 거름이 될 준비를 하며
내뱉는 숨에 추억을 실어 보내며

오늘
하루는
어땠어?

별수 없이

살다 보면
별수 없는 일들이 있다

별수 없이
그런 일만 겪는 날들이 있다

그럴 줄 알았다며 혀를 차는 사람들은
그들의 별수 없음을 알지 못한다

별수 없는 사람들의
별수 없는 시선 속에

오늘도
별수 없는 별 하나가 떨어진다

여명에 스러지는 어둠처럼
소리 없이 떨어진다

착각

인간은 과연
행복하기 위해
태어난 존재인가

인간이 감히
자신의 행복을
저울질할 수 있는가

인간의 실상은
허상 안에 있다

행복도 저울도
내 속에나 있을 뿐이다

자존감

애정어린 속삭임이
가식으로 느껴질 때가 있다

걱정어린 조언이
기만으로 느껴질 때가 있다

지나가는 한마디가
온종일 귓가를 맴돌 때가 있다

너는 그렇게
때로 난청을 일으킨다

마음정리

절실함이 도전을 낳아도
현실이 상실감을 부르니
진심이 닿지 못할 바에야
욕심이라 부르는 수밖에

初心으로

처음부터 더러운 사람도 없지만
끝까지 깨끗한 사람은 더 없더라

처음부터 불행한 사람도 없지만
끝까지 행복한 사람은 더 없더라

처음부터 이뤄낸 사람도 없지만
끝까지 지켜낸 사람은 더 없더라

인정 없는 세상

"증명해봐"

언제부터 이리
야박한 세상이 되었는지

인정人情으로 살던 우리는 이제
인정認定에 주린 이리가 되었습니다

근거 없는 따뜻한 응원은
인정할 수 없습니다

이리는 그것을
가차 없이 집어삼켰습니다

성과없는 과정의 시간도
인정할 수 없습니다

이리는 그것을
갈기갈기 찢어발겼습니다

낮이 오지 않는 밤
이리는 배를 잡고 울었습니다

배곯는 시절은 갔다는데
배 아픈 시절이 온 걸까요

참으로
인정 없는 세상입니다

미완의 정서

미움을 덜어내고
마음을 돌아보면

당신의 부족함을 달아보던
내 부족함을 마주하게 된다

미완의 인간
미완의 정서

그래서
내가 당신을 미워했었나 보다

어둠이 빛을 사랑하는 법

투정하지 마라

때로는 적당함이
좋을 때도 있는 법

토해내는 어둠에
네가 겁먹지 않도록

뿜어내는 슬픔에
네가 물들지 않도록

적당히 사랑하고
적당히 살아가다
적당할 때 떠나다오

내게는 사랑이었음을
기억해다오

꿈

이제 깨어나야 할 꿈이라면
그대, 너무 서글퍼 말기를

무엇보다 빛나는 꿈이었으니
그대, 너무 아쉬워 말기를

꿈을 깨고
날아오를 사람도 있지만

꿈에서 깨어
살아갈 사람도 있으니

그대,
너무 좌절치 말기를

동상이몽同床異夢

네가 먹었던 열매에는
벌레가 있었다

더럽다는 내 말에도
너는 기어코 먹었다

과육이 좋을수록
벌레가 먹는 법이라며

그렇게 우리는 헤어졌다

네 입에는 과즙이 터지고
내 입에는 벌레가 터졌다

乙의 관계

너는 이미 늦었다
나는 이제 지쳤다

너를 기다릴 수 없다

너는 조급해하지 않는다
나는 한 번 더 돌아본다

너는 오지 않는다

너는 알고 있다
늦었다 외치는 이 순간에도
내가 기다리고 있다는 것을

나도 알고 있다
힘겹게 돌아선 이 순간에도
너를 기다리고 있다는 것을

너는
서두를 필요가 없다

그대는 봄

너는 늘 한 점 바람으로 와
추억을 흩뿌리고 돌아갔다

비에 섞인 벚꽃 내음이
여전히 향수로 남아있는 건

지나가는 것이었기에
지나치지 않았기 때문이다

남겨진 것

우리 사이를 스쳐 간
시간의 밑바닥에는

추억이라 불리는
기억의 감정이 남아있다

낯선 이의 낯익은 향기에
울컥 눈물이 솟구치고

처음 본 영화의 한 장면에
가슴이 저며오는 건

차마 닦이지 못한
추억 때문이리라

그래
그렇게
여전히

너는 마치 그림자처럼
내 옆에 머무는 향기
내 안에 잔류하는 순간으로 존재한다

가장 어두운 새벽에 멈춘 관계
다시는 뜨지 않을 해를 추억하며

헤어짐이란,
지독히 외로운 감정으로 마주하는
지극히 그리운 추억과의 독대이다

욕심

변화를 두려워하는 건
얼마나 부질없는 욕심인가

인생에도 노을이 지고
있던 터도 허물어지는데

어찌 속절없는 시간 속
내 것만은 여전하길 바랄까

마주하지 못한 날들

수많은 과거를 기다려
오늘에 이르렀다

오늘은
그토록 바라던 미래
결국엔 지나갈 과거

아,
기다림이란
얼마나 덧없는 일인지!

세월에 주름진 발아래 남은 건
어느새 길어진 그림자뿐인데

무엇이 그리도
두려웠었나

무엇에 그리도
얽매였던가

마침표 인생

이것저것
욕심을 냈다

결국 다 버리고
가야 하는 것을

삶에 필요한 시간

재만 남은 땅에
불이 붙을 수 없고

바짝 마른 펌프에서
물이 나올 수 없다

사는 것도 마찬가지이다

내일을 위한 불쏘시개를
남겨 둘 필요가

나를 위한 마중물을
받아 둘 필요가 있다

가끔은
한 걸음 물러나자

때로는
한 박자 쉬어가자

각자의 인생길 위에
잠시 잠깐 주저앉아

냉수 한 잔 들이켜고 일어서자

경험, 그 이후의 깨달음

함께 걷는 것의 소중함은
밤길을 혼자 걸을 때 깨닫는다

앞만 보는 인생의 허무함은
막다른 길을 마주할 때 깨닫는다

시간

시간은 누구에게나
각자의 몫만큼 정직하다

아껴도 남지 않고
주어도 모자라지 않으니

오늘을 살아가는 힘

미처 새로운 하루가
숨을 뱉기도 전

태양 빛을 닮은 붉은 수탉은
어젯밤의 진득한 공기를
울어내었습니다

오늘도 곡식에는 깜부기가 생기고
팥중이는 열매를 갉아대겠지만

어스름한 새벽을 등지고
집을 나서는 농부의 발걸음은

새로운 수확에 대한
설렘으로 경쾌합니다

오늘도 등허리엔 땀줄기가 흐르고
배낭은 어깨를 짓누르겠지만

빈 물통을 다시 채우고
길을 나서는 여행자의 뒷모습은

새로운 목적지를 향한
열정으로 가득합니다

어제 걸음 하지 못한
오늘의 시간을 기대하며

미처 새로운 하루가
숨을 뱉기도 전

태양 빛을 닮은 붉은 수탉은
어젯밤의 진득한 공기를
울어내었습니다

별개의 문제

글을 쓰는 것과
글이 풀리는 것은
별개의 문제다

생을 사는 것과
생이 풀리는 것은
별개의 문제다

여느 때와 다름없는 날이어도
마음만 앞서는 날이 있다

여느 때와 다름없는 날이기에
평범함이 감사한 날이 있다

세 종류의 사람

꾸물대는 사람에겐
주어진 하루를 쉽게 버리는
만용이 있고

꿈을 꾸는 사람에겐
힘겨운 하루를 버틸 줄 아는
오기가 있으며

꿈을 이룬 사람에겐
버텨낸 하루에 위로를 보태는
용기가 있다

시선 끝을 떠났다

붓끝을 떠났다

거짓된 행복보다
살아있는 슬픔이 되기 위해

붓끝을 떠났다

화려한 초상보다
고고한 자화상이 되기 위해

고요에 소란이 쏟아 들어오는
붓끝에서는

난잡한 빛깔의 팽이도
춤추는 주인공이 된다

붓을 거꾸로 쥔 소녀는
소란이 고요에 묻힌 그림자 아래
흩어진 자신을 주워 담고서야
비로소 웃었다

시선 끝을 떠났다

있는 그대로 온전한 것들

더 예쁜 사랑
더 나은 행복
더 완벽한 나

가장 온전한 명사에
수식을 붙이는 건

어쩌면 욕심은 아닐지

익숙한 사랑

고향 집 이불 냄새
하굣길 종소리
한겨울 포장마차

모두 익숙하기에
그립고, 끌리는 것들입니다

누군가를 사랑하는 것도
마찬가지겠지요

정말 서로를 사랑한다면
그대가 주는 익숙함은
지루함이 아닌 잔잔한 기쁨이 될 거예요

그러니 익숙함에 소홀해질 이유도
익숙함을 아쉬워할 필요도 없습니다

낯선 세상 속
익숙한 그대가 있음이 행복입니다

사랑을 사랑하는 사람

사랑하는 사람을
사랑하는 사람이 되렴

상처 주는 사람을 이해하기엔
허락된 시간이 너무나 적기에

사랑하는 사람을
사랑하는 사람이 되렴

모두를 욕심내기엔 작은 품이어도
네 사랑을 안기엔 따뜻한 곳이잖니

사랑받는 것은 축복이며
사랑하는 것은 의무가 아니란다

사랑하는 사람을
사랑하는 사람이 되렴

아가에게

네 옹심이 같은 발아래
내 이름 석 자를 묻는다

네 눈꽃 같은 웃음에
내 열꽃 같은 슬픔을 누른다

내 젊은 날의 꽃잔디 위에
노란 민들레를 피워주련

아가야,
빛나는 꽃이 되어라

빛나는 그대

어둠을 찢어
구멍을 내는 빛

어둠을 입어
더 빛나는 그대

추억醜憶이 보내는 편지

당신에게만큼은
예쁜 추억追憶으로 남고자

그날의 비렸던 밤 냄새를
찾아오는 새벽 여울에 씻어

꺼져가는 시간의 화로 속에
던져 넣었습니다

잿더미만 남은 화로가
미지근해질 아침이 오면

흐린 잿빛, 흩어진 무덤 아래
붉고 노란 추억追憶만을 주워

한 줌의 기억 안에
곱게 넣어 보낼게요

그러니
푹 자요

인생 장르

인생의 장르는
멜로와 새드, 약간의 코미디가 가미된
로드무비가 아닐까요

영화 속 주인공의 선택은
긴 여정을 위한 작은 한 걸음일 뿐입니다

그의 길은 어디를 향하던
최선의 결말로 이어지기 마련이니까요

그러니 그대,
주저할 필요 없습니다

순간의 실패는
새로운 도전의 이유가 될 테니

이 영화의 결말은
그대 손에 있으니

당신의 밤

발가락을 파고드는 모래알이
유난히 뜨거운 날입니다

오늘도 맹인 인도자는
구름이 흘러가는 방향으로
정처 없이 걸었습니다

숨을 식혀줄 물 한 모금이
되려 더운 숨을 토하게 만드는 건
참 이상한 일입니다

굽은 어깨에 해가 내려앉고
푸른 나침반이 숨을 삼킬 때야

그는 비로소
고집스러운 발걸음을 멈춥니다

신기루만 담던 탁한 눈동자에도
붉은 불이 일렁입니다

불은 거침없이 번져가
죽은 땅을 물들이고

견딜 수 없던
생의 무게를 들이켭니다

아!
당신의 밤입니다

김유리

『 새 계절의 문 앞에서 』

날씨가 화창하면 병이 납니다
비가 오고 천둥이 쳐야 힘이 나서 움직이니
이 안에 있는 것이 무엇입니까
불안함이 원동력이고
흔들림으로 단단히 설 수 있으니
당분간 글이 닿는 당신에게도
외로워 흔들리다 우는 밤이 찾아오기를
깊이 바랍니다.

단 바람

길가의 바람벽
남의 집 창문
공원 벤치
정류장의 안내판
눈으로 매만진 남의 것들
3월의 바람은 아직
겨울이 남긴 남의 것이죠

내 봄이 오길 좀 기다리고 있어요

오후에는 당신이 스쳐 갔어요
홀로 따뜻한 긴 햇살에
나의 진창은 살짝 말라요

4월의 바람
단 바람

우두커니
고목처럼 서 있는 일상의 벌판에선
다가와 주는 무엇이라도 반기지요

그러니 그대가 와요
나는 서 있는 역할이니
아무 일도 일어나지 않는 고요를
둥… 둥
발걸음 소리로 흔들어줘요
기대할게요
이 질퍽하고 끈적한 고요에 합류해요
고통스러운 잔잔함을 잘라낼
그게 필요하니까

오래된 문은 헐거워졌고
녹슨 비명이 날걸요
거칠게 밀어야 열리는
진공이 돼버린
여기는 그런 공간

겨울을 건너
포근하게 와 주면 어때요

4월의 바람
단 바람
난 서 있을 테니

이별 전

"내가 오래오래 머물면 이렇게
진득하고 달곰한 고추장이 될까?"
젓가락으로 비빔밥을 뒤적이며 그가 물었다

차가운 백열등에 아래 나는 흔들리고
그는 나를 빠져나가는 중
꾸역꾸역 내 속에 다른 것을 채워 넣고
위장에 들러붙어 소화되지 못하는 시간들

빈 골목을 비추는 키 큰 가로등 그늘
남의 집 담벼락에 울렁이며 남아있는
수 없는 그의 그림자

쪼그라든 위장으로
빈 곳은 더 비워지길
외로운 사람들은 대개 공간을 만든다
추수가 반복되면
싸늘한 겨울로 들어서는
움직임을 버린 날들이 오니,
내 꿈도 얼어
빠져나간 자국만
점점이 눈물로 멈춘다

가로등의 뿌연 빛에 멍든 것 같은 그림자가
빈 거리로 쏟아진다

회상回想

다 읽은 책의
접힌 귀퉁이
바람에 날려 펼쳐진 페이지

시간이 묻은 것을 돌이키는 건
읽은 책을
이따금 뒤적여 보는 것

깊게 익은 페이지에
아차!
가끔 손이 베이는 일

닿지 말아야 하는 이유

별은 우주 어딘가에 매달린 것이 아닌
별들 사이 중력의 균형으로 제 자리에 있는 것
우리가 서로 부딪히지 않아야 하는 이유다
결코 낙하하지 않을 별들의 안전을 우리, 알고 있다
'달은 낙하하고 있지만
지상에 닿지 않을 뿐이다'
낙하하고 있지만 닿지 않는 것이 안전하다
우주와 그 마음이 그렇다
어쩌다 보니 마음이
천상의 달처럼 배회하지만
지구는
우주의 지구는
아틀란티스를 감춘 바다의 침묵처럼
울퉁불퉁한 제 모습을 부푼 대기에 넣어
매끈하게 가려두었다
나의 마음이 진실하지 못하면서도
둥글게 보이는 까닭이다
지구에게 가까운 눈을 가진 우리는
모나고 아름다운 지구를 알고 있다
감출 것 없이 진실한 눈이다

내 마음에 가까이 부딪히고
아린 곳을 쓰다듬으면
당신은 내가 얼마나 철없고 비겁한지
아름다워할 것이다
우리가 닿지 말아야 하는 이유다

쉬어요

커튼을 활짝 열어 두어요
비가 그치면 서쪽에 노을을 밝힐 거예요
거칠던 구름은 지나갈 테니 마음 놓아요
틀림없는 시간에 나타날 거예요
오렌지와 분홍빛이 성큼 떠오르면
저녁으로 향긋한 버섯을 구워낼게요
연어와 소라찜도 올려볼까요
하루해가 진다는 건 말만이지 않아요
움츠렸던 어깨는
집 앞 마지막 발걸음에 두고 오세요
보송보송 솜털이 오른 커다란 수건을 준비할 테니
힘든 몸 씻고 나와 다 털어요
따뜻한 하늘이 빛을 물리면
오늘은 그저
잘 쉬어요
그런 날이거든요

멈춤

사라진 것들을 기다리기 지쳤다면
속히 물러나야 했던 것이다
눈 속에 가득히 욕심을 넣고 기웃거리며
너의 뒤를 흘끔거리는 짓을
놓았어야 했다
복잡한 도로 위
노란 신호등이 번쩍이며 나의 시선을 부둥킬 때
미련 없는 브레이크를 밟아
변명을 쏟아내는 악셀의 부릉거리는 소음을
듣지 않았어야 했다

너는 잘 익어 쉽게 터지는 토마토처럼
말라가는 줄기에 위태롭게 매달려
붉고 탐스럽게 빛나고 있었다
제때 수확되지 못하고 매달려 있는 너를
어둠 속에서 눈을 밝힌 늑대처럼
배고픈 나의 욕망은 어슬렁거렸다
사랑은 눈이 멀어야 한다지만
나는 눈을 부릅떴다
너는 너무 아름답고 약한 생명
거친 나의 품에서
끝내 터져버릴 생명이다
붉게 타오른 너를
사랑하지 말아야 한다

겨울의 밤과 꿈

늦은 저녁 무렵 가로등에
점점이 눈이 뿌리는 날
곧았던 척추에
하얀 세월이 내려
굽은 등에 눈이 쌓이면
빈 가지를 차지한
애벌레 집이 생각날 겁니다
추위로 가슬가슬
닭살 돋은 살갗을
제 손으로 쓸어내려
늦은 계절을 다듬으며
빈 가지에 앉은 애벌레처럼
작아진 몸을 돌돌 감아
몸 녹일 곳을 찾을 겁니다
사는 건
끝에 서 보면
좀 외롭고
심심한 건가 합니다
그 기인 긴
움츠린 겨울에
온몸 기대어
어느덧

누추하게 나이 든 등을
슥슥 쓰다듬으며
그믐밤도 넘길
천 개의 이야기를 읊어
체온을 나누며
밤을 지내고 싶습니다

고요한 세상으로
자박자박
눈 내리는 소리를 들으며
폭폭 나이 들겠지요
눈이 모두 덮어
하얗게 세상의 색이 사라질 때
둘이 함께 사라질 꿈을 꿉니다
서로 굽은 어깨를 기대
하루 잘 살았다
긴 숨 내쉴 수 있다면
겨울이 깊고 추워도
작아진 몸으로
별의 마지막처럼
아무도 모르게
조용히 이 세상에서 흩어져도
아름다웠다 말할 겁니다

호수

거기쯤인가 해
거기쯤, 나, 부유하고 있어
저기 나, 좀 반짝이니?
해가 뜨는 날이면
더 반짝일 텐데
일렁일 때마다
작은 원반처럼
전진하고 있어
막 자란 갈대로 덮여
부서지는데
사라진 건 아니야
살짝만 건드려도
금세 울렁거리고
네 옆으로 또
술렁이며 움직여
하얀 운동화 끝이라도 만질까
촉촉하게 바람에 밀려
조금만 다가가도 될까?
거친 날은 좀 멀리 있어 줄래
덮칠까 겁나
이만큼만 갈게

큰바람에 나의 반원이 커져
볼썽사납게 너를 적시고
서둘러 돌아가는 네 뒷모습
그건 안 볼래
이 만큼씩만 떨어져
살살 흔들리고
가끔 멈춰서 반짝일게
아름답게 읽어줘
밀려오는 물결에 풀잎이
섶에 앉은 풀벌레 날갯짓이
다 아름답다고 읽어줘
그만하면 됐어
한창 아름다운데
그만하면 되었어

오늘

껍데기만 남은 소라 몇 개가
하늘을 보고 누워 있는 꿈을 꿨어요
삶이 빠져나간 공간은 잘 부스러진대요
곳곳이 뚫리고 깎여 있어요
껍데기뿐인 소라를 보는 건 흔한데
산골에서 보는 건 이상해서
요 며칠 잠을 못 잤죠

잘 자고 일어난 자리가 무덤가라
소주와 북어포를 들고 여길 왔어요
종이컵에 쏟은 소주를
아무개의 무덤에 붓고
북어포를 찢는데
가시에 찔려 피가 나요
이만큼도 아픈데
숨이 넘어가 묻히는 일은
얼마나 아파야 눕게 되나요
바람도 해도 제일 잘 드는 곳에
무덤을 쓴다는데
좀 섭섭합니다

산 것에게 필요한 것이
돌아간 것에게 더 넉넉해서요
'고수레'
북어포를 몇 조각 던지니
떼 아래 사는 개미들이
오늘은 안 굶겠네요

일몰과 일출 사이
비가 내리고 벌레들이 숨어들고
땅강아지가
젖은 흙으로 파고들어요
깜빡 든 잠에
빈 소라를 남기고 도망친 소라게가
내 품으로 파고들어요
가슴에 안기더니 허리춤을 물어요
알아요
산다는 게 그리 연약한 거
발가벗겨져 드러나면 뭐라도 찾게 되는 거
오늘을 살리는 건
돌아간 것들이라는 거

계절은 끝나기 마련이니

그립다는 말은 목에 잘 걸어두어야 해
목이 좀 길어서 가을과 겨울에는
특별히 따뜻하게 해야 하니
그 말은 목에 잘 걸어두자
그리움은 뚝뚝 떨어진다잖아
가을 낙엽 같은 거야
미풍에도 몸서리치며 쉽게 떨어지는 계절이니
건조한 말에 부딪히지 않도록 해야 해

구름이 두껍게 뿌려져 짙은 하늘 아래
푸르고 하얀 편의점 파라솔 아래
캔 커피로 목을 축이는 발아래
주워 먹을 것도 없는데 비둘기들이 달려드는 건
그리움이 목이 메 그립다는 말이 곧 떨어질 것을
배고픈 비둘기 눈에는 보였던 거야

손에 든 캔 커피를 내려두고
'그립다'를 꽁꽁 묶어 두었지
목감기에 걸린 사람처럼
보호해야 할 말을 목에 잔뜩 담아서
시간을 감고 또 감고 있어

계절은 끝나기 마련이니

당신의 탄생에

탄생은 눈물을 담고 있으니
두드려야 열리는 문처럼
울음으로 두드려 빛을 얻는다
어둠 끝 빛이 보인다는 것
어머니의 산고를 내 것으로 여겨 운 것이든
번데기 찢어내는 내 살점의 아픔이든
무수한 탄생의 인고는
울지 않고는 견딜 수 없으니
당신
태어나는 그날은 마음껏 울어도 좋을 것이다
울었던 자리에 꽃을 뿌리고
세상의 축복을 누려라
타다만 양초처럼 엉거주춤 남아있지 말자
기꺼이 스스로 끝까지 빛나라
촛농의 눈물만큼 빛나고 있으니
마음껏 울자
탄생 옆에 그대 울음 듣는 이들에게
살아 있음을 증명하여
울어도 좋은 것이다

봄날의 불면은

봄 끝에 엉겨있는 여름
새 계절이 어귀에서 서성이니
설레는 일이다
바라던 방문이 얼마나 기쁜지
돌아누울 수도 없이 앓는 밤
잊었던 기억이 찾아와 주면
봄날의 불면을 사랑하지 않을 수 있나

숯덩이 같은 까만 밤에
시계의 분침 소리가 점점이 별로 박히고
나는 침대에 깊게 묻혀
불면의 요동을 사랑하고 있다

서로의 심장에 함께 묻혀
영원히 잠든 로미오와 줄리엣처럼
밤에게로 포개어진 내 심장에 달이 가득 차면
아… 아…
봄을 배웅하려네

회색의 새벽이 오기 전
내 마음으로 얹힐 밤에게로 달려
둥글게 오르는 달이 되어야지
누구도 잠들지 않았던 밤
다음 계절은 또 올 것이고
다른 밤도 또 올 테니
얼마나 아름다운 인생인지

저녁

저녁 빛이 하도 좋아 나와 봤더니
저렇게 낮은 산 하나를 못 넘어가고
하늘을 등에 걸친 태양이
이를 악물고 있었다
나는 손을 들어 어서 가라고
동구 밖까지 나와 배웅하던 할머니처럼
손을 저어본다
오늘은
하루가 힘들었나 보다

바람 부는 날은

비바람 부는 날은
우산을 접어 두세요
잡은 손이 따뜻해서 눈물이 났어요
뱉은 말은 시린데
비가 이렇게 오는데
바람이 이렇게 부는데
힘들게 나오시다니요
바람이 부는데
우산은 접어두고 안에 계시지
비가 멈추면 나가시지요
그 얘기는 바람이 없을 때 다시 듣겠어요
따뜻한 차를 드시면
하시는 말이 다정해지려나
조금만 앉아 쉬었다 나가시지요
바람에 우산이 망가질까 그래요
따가운 말은
찬바람 탓일걸요
우산은 접어 주세요
고운 입에 따가운 말은
담지 마세요

봄에게

봄에게
오지 않았으면 어땠을까 물었다
어차피 내년에도 또 올 것을
애써 힘들게 왔을 수고가 안타까웠을 뿐인데
봄은 자꾸만 서럽다고 운다
비가 많은 봄이다

"나는 기린이 좋거든
기린은 키가 크잖아
한 발짝을 내딛기만 해도
성큼 저리로 갈 수 있잖아
긴 목을 드리워 초원을 부유하며
원하는 것을 찾는 기린이 부러운 거야
겨울 폭풍 같은 사자의 무리도
기린은 두려워하지 않지."

봄은 기린을 좋아한다고 말한다
기린을 본 적 없는 봄이다
내셔널지오그래픽 잡지의 한 페이지를
겨우 기억한
연약하고 변덕스러운 계절
봄의 마음을 잘 알지만 동의하지 않았다

겨울의 지친 틈을 비집고 겨우 얻은 봄이
서러워할까 말하지 않는다
봄은 또 울 테고
애써 온 보람 없이
추운 봄이 될 것이다

비가 내리고
추운 봄은
누구에게도 반갑지 않으니
봄이 서러워 쓸쓸하지 않게
그냥 좋다고 해야 한다

눈 날리는 날

날리는 눈 중
앉아보지도 못한 송이도 몇 있다
앉지 못한 눈송이라고 이름 붙이자
앉을 자리가 있다는 건
축복받을 일
허기진 가슴을 뉘어 채우는 일

우리 서로 내보이지도 못한 마음이……
무어라 이름 부르지 못할 마음이……
너푼너푼 날리는 눈이 앉는 소리도 없이 쌓인다

하늘색 두꺼운 코트를 입었던 그 날
쏟아내는 더운 입김에
내려오는 눈이 그대로 녹아 사라졌다
어깨를 톡톡 건드리던 눈발이
피식거리며 삐져나오는
사춘기 계집애의 얼굴에서 요동치고
차가운 날씨에 붉게 타던
녀석의 얼굴이 희끗희끗 함박눈 사이를
스치던 날이었다

동경의 시선이 세상의 전부로 흩날리는 것을
지구는 사라지는 순간까지 남김없이 기록하였다

지나간 것과 잊힌 것의 경계를
눈의 움직임으로 정의했다

입김에 녹아버린 그것들은
한번은 만나야 하는 쪽
마침 어깨에 조금씩 쌓여가는 것들을
너는 다정히 털어내 주었다

우리는 사라져 잊히는 쪽으로 기울어져 있었다
아픈 날이 되었다

무거운 밤

밤새 가슴으로 떨어졌다
심장 가까운 데가 축축했다
이 밤엔 비인가보다
예보 없이
후드득 떨어져
온통 젖은 몸으로
흥건하게 떨며 어둠을 지난다

웅크린 이불 안으로 새어 들어와
때마침 깜빡이던 눈으로도
소나기가 쏟아 내린다

무거운 것은 떨어지는 중력의 당연함
이 밤이 무겁고
무너져 내린다

빗물로 몸을 불린 강물이
비가 그치면
속에 품은 것을 내려보내고
잔잔히 제자리를 찾는데

아침이 오면
찌꺼기 덜어낸 가슴이
훌훌 가벼워질까
마음 가운데로 난 물길이
사라져 줄까

사정없이 떨어지는 비는
낮고 어두운 곳을 골라
깊게 고여 간다

글자

글자에는 감정이 없어요
써 내려간 긴 글은 아무것도 아니니
밤을 지새워
성심을 다하여 썼던 들
먼 길 달려간 글자가 그에게 닿았던 들
그저 흰 종이를 채운 자국일 뿐
아무것도 아니죠
어느 나무 제일 여린 가지에 맺혔다가
일없이 떨어지는 잎처럼
그런 별일 없는 게
글자예요
단어가 뭘 알까요
툭 던진 설명이지
그뿐이죠

수평선과 수직선에 관하여

만났다는 건
그리고
헤어졌다는 건
다시는 만나지 못한다는 것

영원한 헤어짐을 인정하지 못한 채
재회를 믿으며
그리워하는 어리석음
언젠가 만날 것을 믿으며
거침없이 살아가는
그리움과 믿음은
어리석음의 반복
알면서 '일단'은 믿고 싶은
서러움

유연함을 발휘해 돌아갈 수 있지만
뜻을 지키며 나아가는 꿋꿋함
꺾이지 않는 올곧음
닿을 수 없는 바람직함

이름 I

지웠는데
지운 뒷장에
아직도
꾹꾹 눌려 있는 이름

눌려 담긴
그게 내 가슴 같다

밥

때가 되어
저녁을 차렸는데
달고 입에 붙는 찬을 냈는데
당신은 한술 뜨더니 자리를 뜨네
입에 썼을까
입이 썼을까

할머니 돌아가시기 전
몇 달을 입이 쓰다고 사탕만 드시더니
당신,
어디로 가려고
입 쓴 흉내인지

내 입에 넣은 저녁밥은
쓴지 단지
그저 배를 채우네

밥숟가락 만한 식탁 위 전등이
흔들거리네

계절 끝

차갑게 식은 들의 황량함을 덮는 눈을 보아요
우리 계절의 마지막 손길이에요
앞선 세 계절의 찌꺼기가 하얗게 덮이니
그것만 기억해요
조금 식은 우리
흐른 빗물에 가슴이 젖지 않게
비 그쳐 잎 진 나뭇가지 끝에
너울너울 넘어오는 눈처럼
우리도 이만 흐르지 말고 멈춰요
지나온 길을 눈으로 훑으며
잘 가라 손 흔들 때
모두 덮어 하얀 기억만 만날 수 있길,
불볕 같던 시기가 얼어
한 걸음도 위태로운 절기를 맞아
미끄러져 넘어져도 이제
고맙다는 말은 참지 말아야 해요
각자 서 있는 언 들판에서
남은 눈의 아름다움만 남겨요
계절의 마지막에 다시 걷는 우리
다음 계절은
각자의 발자국을 누르며 흘러가요

이름 II

제법 그럴듯한 열매를 맺는 꽃들은
저마다 열매의 이름으로 태어나지요
호박이나 가지나 수박도
향기가 그윽하다는 귤도
꽃은 열매로 이름을 대신해요

- 저의 이름을 아시나요
  저도 이름이 있는데
  한때 그렇게 불러 주시더니 -

빼어나면 꽃으로 불렸겠지요
장미나 재스민, 수국처럼.

향기나 생김새가 별로이니
꽃병이나 정원에 고이 앉는 대신
떨어뜨린 꽃대를 밀고 올라온
주먹만 한 싱싱한 열매가
먹음직스럽게 한 상으로 이름 불리겠네요

꽃 이름 말고
호박
가지
사과
그런 거

사랑기도

너에게서 비로소 사람이 된다
태아에서부터 펴지 못했던 사지에
품지 못했던 오감을 갖게 된다

손을 들어
너의 이마를 짚으니
드디어 사람의 온기를 본다

사랑한다
사람의 사랑을 한다

내 가슴에 꽂힌 게
칼끝이 아닌 손길이기를
베이지 않고 어루만져지기를
어제와 오늘, 같은 기도를 한다

구름 모양으로
날씨가 읽히고
바람의 길을 예측하듯
정확한 정도껏
우리의 모양을 정리하자

개망초가 지천인데

개망초가 피는 계절이라
설렘이 지나칩니다
개망초가 집에 들면 망한다던데
이 계절
망했나 봅니다
주책없이 터지는 개망초 꽃대가
어디고 지천이라
늦은 여기에 꽃이 들어
우습게 됐어요
마음에 꽃이 드니
드디어
이번 계절
제 마음은 망한 겁니다
그 맘이 이맘에 닿으면
어쩔까요
망초꽃 지천인데

밤이 너무 깊어 닿지 않을 때

너는
뱃사람의 별
그것을 볼 수 있기를
부디 잊지 말고
뱃머리를 돌릴 수 있기를
뱃사람의 팔뚝에 새긴 문신처럼
사라지지 않는 기억을 새겨
기도를 하자

나의 기도는 매일 진화하고
정확하고
사랑을 말한다
외로움을 기도했던 날
넵티누스의 귀를 가져
파도의 목소리를 잘 듣는 네가
바다의 몸부림을 다스려
출렁이는 내게 대답했다

너의 손길이 씻어 내린 청결한 내가
어두운 데서 빛나는 노래를 부르니
비로소 안전한 사랑을 한다

저기 빛나고 있는
북두칠성의 기도를 하자

펼쳐지지 못했던 손가락의 온기가
너에게 닿았으니
뱃사람 손에 잡힌 방향타는
배의 노래를 끝내지 않을 것이다

첫사랑

발끝으로 그린 동그라미 백 개
길 끝으로 그가 보일 때까지
멈추지 않기

그곳으로 그림자가 보이면
입 끝에 혼잣말이 걸린다

봄날 묻은
소리 없는 은방울꽃
공기 사이로 퍼져가는 하얀 웃음
뚜벅이는 운동화 발자국

내 마음은 날개를 가졌으니
나의 숨이 그의 옆을 함께 걷는다
힘차게 날아
나의 눈은 너를 안는다

그 사랑은 꼬박 6년을 내려
달과 해가 수없이 뒤집히는 시간을 달려갔고
반쪽짜리 심장 안에 억세게 남아
삶 속에서 헤쳐지고 있다

고백

단어를 고르라면 사랑이라 말했을 거예요
하지만 그런 촌스러운 고백은 하지 않을 거예요
내 고백은
당신이 한 열닷새쯤 후에나 알 수 있게
그믐달 즈음에다 매달아 둘 거예요
달 없어 어두운 밤 그대가
'달인가?' 하고 나오면
거기 걸어둔 고백에 눈부셔 깜짝 놀랄 거예요

힘겨운 길에 당신 하나 안았다고
활짝 펴서 밤길을 밝히는 달맞이꽃으로 앉았어요
어느 밤 대문 앞에 노랗게 꽃잎을 벌린 긴 꽃대를 보거든
내가 말한 고백이니 기억해 줘요

어두운 밤 산책길에 발견한 게
달인가, 꽃인가 모르겠거든
내가 남겨둔 말이니 담아 두어요

마음

차가워진 내 손을 잡아
당신 주머니에 넣었던 그날
주머니 속 뜯어진 작은 구멍으로
다정함이 와르르 쏟아져 들어갔나 봐요
나올 길을 몰라
짤랑거리는 동전 몇 개랑
여태 있나 봐요

찬 바람이 불면
당신은 또 그 옷을 꺼내 입는데
모르시는지
모른 척하시는지
주머니에 들어간 내 마음은
동전에 부딪혀 짤랑거리며
당신과 함께 매일
다정히 거리를 건네요

생일

달의 위로도 듣지 않는 밤
일 년 만의 병

해를 꼼꼼히 헤아리는
별자리의 자상함이
독이 되는 병
북두칠성이 나타났다 사라지는
네 계절이 지나
평범히 또 다가온다

빠짐없이 지나가는
성실한 흔적은
해마다
고스란히 쌓아지는 것

그날은
나에게
병이 되고

손편지

한때
빼곡하게 적힌 손편지 한 장으로
가로등은 주황빛으로 흘렀다
네가 나의 편지를 읽던 날
오렌지빛 가로등 아래서 눈을 맞았다고 했던가
차가운 날씨에 네 손도 오렌지빛이었을 테지

나는 LED 파란빛 아래 너의 글을 읽었다
하얀 여백도 없이 빼곡하게 채워진 네가 나를 선택해
주황빛 따뜻한 세계를 넘어 나에게로 왔다

바람도 온기도 없는 내 방에
긴 꼬리를 단 오렌지빛 바람이
밤새 철썩거렸다

비

비가 공기를 다 덮어
어디로 움직여도 눅눅합니다
이럴 때는 되도록 가만히 있어요
멈추어요
비를 흠뻑 맞은 나무는
세포마다 물이 가득 들면
빗물을 밀어내지 않고 기공을 덮는대요
나도 그래요
가만히 앉아 축축한 공기를 맞으면
손끝까지 온통 나무가 되어요
진실이 아닌 건 다 사라지도록
에어컨을 튼다, 보일러를 켠다
수선 떨지 말고 그냥 젖어보면
진짜를 알 것도 같아요
떨어질 것은 떨어져 사라지고 말라
진짜만 남게 되지요
진실이란 게 그래요
나뭇잎처럼 안에서 꽉 닫고 기다려 보면
다 알게 되지요
그러니 지금 좀 울어도 좋아요

김혜진

『 분실글 보관소 』

눈물은 얇게 썰어
설탕 이불 덮어 주기
잼 없는 세상으로
하루 한 끼 꼬박 챙기고
날씨는 먹을 만큼만

이별할 게 남아서
기꺼이 살아요

무엇이든 사랑할 것처럼
쓰는 주제에

청춘송

안녕, 폭염처럼 사랑하다 낭만으로 저물 즈음
한 걸음 뒤 눈밭에서 재회하자
무채색 파라솔 온밤을 지키고
정갈한 띄어쓰기 우릴 연재하니까

언젠가 달의 뒤편 총총히
분홍霧虹 떠오르면
우주인이 그의 색 꺼풀을 벗겨
지구행 혜성에게 묶어 준다면
어지러이 황홀한 별하늘을 바라보며
정말로 놓아줄 텐데
그러나 너는 이상론을 불신하니까

함께 누워 파도를 맞추자
보고 싶단 말이 길어졌어

모퉁이 사서함

엉망일수록 살아야겠어요
빌려준 다정은 헐겁게 돌아오고
낡은 이름 덩굴지어 울창해도
오래된 연서가 여전히 산뜻하고
종종 다디단 입술이 도착하는
나는, 나는,

살그머니 포개어진
그 애의 속눈썹을 떼어 내며
이다지도 즐겁습니다
어쩌다 토도독
나를 적신 믹스 커피
그마저 빛바랜 클로버입니다

첫눈처럼 쏟아지는 은행잎을
한달음에 이해하며
그립다고 썼다가 깔깔 웃을게요
실은 너무나 그리워하니까
나는, 나는,

거미줄

귀한 건 투명으로 와서
나는 매절 허둥거렸다
어슬녘 둑길 위
때론 바람 부는 개여울에 앉아
툭하면 눈을 감고 공중을 헤엄했다
손길은 번번이 어긋났고 본능처럼
망한 사랑이었다

곰돌이 다이어리

때 놓친 문장은 어디로 가나요
무연고 납골당에 안치될까요
낱말 한 톨 쓰이지 못하고
선 너머 외로이 숨죽일까요
시간은 잿빛이구나,
가슴에 나비를 꽂으며
날마다 불가항력의 디데이를 셈하려나요
계절이 도톰합니다
더운 저녁이면 연필알은
가을 맛 엽서를 발행합니다
그댄 항상 나의 언저리에서
이울지 않는데
그대의 빈칸은 갈수록
기울고 희읍스름 저문다, 고
적습니다
하루치 고요와 애정을 담아
작은 글씨입니다
말미암아 안부하진 않겠노라
추신합니다

윤의 결혼식

새벽이 다 가도록
담배를 피웠다
엎드려 울었다

풀벌레 오르골
찌륵대며 감기는 동안
쓰고 지우고
문단 사이를 헤맸다
마지막 인사를 치렀다

천년을 주어도
완성하지 못할 이야기 끝에
서랍 깊은 곳 고스란히
잠들어 있던 마침표를 놓으며

나는 몹시 가여워졌다

프롬 습작

날것에 지난날을 비벼 먹고
굿바이 조심히 가
청춘의 부산물을 흩뿌리고
다시는 돌아오지 마

사실은 마름모꼴 어휘보다
섬세한 접속사를 더 미워했다던 네게
삶은 글발 몇 알 가만히 안겨 주며

눈이 내리고 열차는 떠났지만
희한하게 아프지 않다 이제껏
남겨지기 위해 살아온 기분으로

쉿, 미미

과일나무에 바퀴벌레가 산다구
괜히 다행인 거야
우리들이 뭉텅이로 버려지는
공중화장실
값비싼 바람막이 돌려 입으며
어떻게든 웃어 보는 거지

당신은 소중하대 자살 방지 현수막이 그래
화가 나서 찢어 버렸어
쓰레기를 먹어도 안 아픈 배를 갖고 싶은데
소중하다잖아

철없는새끼들

햇살 한복판으로 걸어가자
춥고 외로워
너는 이렇게 울면 안 돼

파인애플 레시피

사랑하세요 손금이 바뀔 만큼
당신으로 시작되는 첫 줄
죄다 파기하고
떠나는 이의 그림자만
반듯하게 오리세요
테두리는 끓는 물에 타 마셔도
맛 좋아요

향긋한 사람아
환하게 앓는 법을 배워야지요
어른이 되었으니

page 32

잊힌 것 같아요
그런가요?

이대로 가물까
무서운 기분이 들어요
바람만이 나의 결을 읽고
꽃잎은 꼭 다문 입술 새로 끼어들어서
누굴 기다려요 웅크려 기도해요

기억 속 아카시아 향
내내 머금은 채

늦지 않게 들러요
그땐 내게 책갈피를 달아 주세요

외딴섬

베갯잇에 끼워 넣은 당신 생각
밤새 날아든 까치가 물고 갔다
늘 울고 마는 밤이 가여워서
영영 돌려주지 않겠다고

머리맡에 그려 놓은 당신 얼굴
외로운 별똥별이 쓸고 갔다
기다려도 오지 않는
슬픈 인연 잊으라고

텅 빈 이부자리
어둠 끌어 덮은 채
흐느끼는 산등성이

당신으로 모자라
나를 떠난
못다 한 것들

그댄 나의 파랑이 좋겠다

눈에서 눈으로
순식간에 옮아가는 병의 찌꺼기
작열하는 산호 얼어 죽을 노을

바닷물을 달이면 우리가 우러날까
주어 없는 시는 내게 어려워

펜을 움키고 달을 캐다가
흘러가서 너울지는
뼈와 살 혹은 무뭉스름 하늘 슬러시

겨울을 물종으로 구슬려 봐
무척 행복해진다

갯바위 종이학을 바라보며
십 분에 한 번씩 네가 울었지
흐를 수 없어서 좌절했고

난 너의 익사를 도울 수 없었다

아름다운 것들 앞에 꽃이 붙을 때
네 앞엔 물이 붙는다고 말하고 싶었어

습한 낱말을 수집하는 이유

물이랑, 물이랑, 굳이
물이랑을 꼭 쥔 채 너에게 달려왔다는 건

각주를 달아 줄게 전생에 파도였던 아이라고
비밀인데 영영무궁 산소통을 개발 중이야

지렁이 장례식

작은 손이
널린 심장을 거두어
수풀에 놓아 주었다
어제 그랬다
오늘도 그랬다

구원은 뜨거워
곧잘 데이고
다만 사인死因이 교체되는 일
몰랐을까?

나도 자꾸
너처럼 죽는다
싱그러운 빈소에서
목 놓아 울었다

살고 싶을 때
살 수 있는 숨통도 있대

욕조의 몸살

무수한 포옹을 했군요
고로롱고로롱 늙은 고양이처럼
실금을 뜨고 가냘픈 숨일랑
삐끔거립니다

하얀 이마가 싱거워요
얼마큼의 밀물이 다녀갔는지
새카만 반창고 겹겹으로 발라 주며
이 생을 투영합니다

마음 그릇 마시멜로 도동실 코코아
껴안는 쪽이 금방 닳잖아요
바탕일수록 앞서 깨어지고
탁해지는 법칙

담담해요
다만 아래층에 물이 샐까
그게 걱정이죠

플라스틱 심장

그저 그래
애쓰지 않아
다채로운 이 세계도 나에겐
시네마컬러 그뿐인데

다 녹은 프라페
셰이크, 인 줄 알았던
바닐라 아이스크림
딱 그만치 온도

노크하려구? 아니
제멋대로 담기렴
내 하트는 친환경이야
언제든 재활용이 가능해

찰나에
숨을 참는다
무딘 사심이

함빡 쪼그라들었다

별일 아니에요
뜨거운 그이가
다녀가는 중이에요

지나가던 깡통
나를 보고 비웃지만

암튼 그저 그래
애쓰지 않아
진짜

이상 기후

잘 자, 그 말을 못 했다
전화기를 내려놓자
이 별은 다시 고요히

카세트에선
늘어진 열대야가 되감기고

수박이 먹고 싶어
물고기 눈 슴벅이며

바다 냄새 나는 걸
죽을 둥 살 둥
정신없이 해치우다가

별안간
네 쪽을 향해
씨를 뱉는 상상

상한 팔월은 풀빛으로 부푼다
넌 모르겠지만

끈적해진 손가락은 다이얼을 돌릴 수 없다
끝까지 넌 모르겠지만

창가에 기대
불 꺼진 과일 가게를 건너본다
잘 가, 그 말도 못 했다

인생은 아름다워

깨물면
금귤이 쏟아지는 일생을 보내야지
우울을 갈아 은빛으로 마시고
놀구름 곁들인 작별을 할 테다
오로라로 머리를 묶어서
매일 밤 새콤한 꿈도 꿀 거야

뛰어들면
물소리 퍼지는 해바라기밭에는
하와이가 블루 카펫으로 깔려 있거든
나는 여기 에메랄드 품을 유영하며
열대어와 눈 맞추는 아이
이상異常이 전부인 양 살아가는
로맨티시스트니까

사자님
나 죽을 땐 시집 들고 오셔요
내 이름은 그곳에 있네요

점선의 사연

묶고 있던 머리를 풀고 빠진 머리카락을
줍는 일, 무심하게, 새 노트의 첫 장처럼
버려진 진심들을 이면지로 쓰는 일, 이윽고
무뎌지는 중입니다

동여맨 신발 끈도 걸핏하면 끌러지는데
연줄이라고 다르겠나요?

그동안 너무 많은 매듭을 지었으니까
마디마다 작별의 연속
몇 개는 헤어진 줄 모릅니다

머리는 다시 묶일 거야, 진심은 소생하고
이러나저러나 자국은 남겠습니다
예의를 차리듯

샛노랗고 눈물겨운

알로하 레몬
과한 게 좋아
춤추듯이
퍼붓는 소낙비를 횡단한다

마치 음표처럼
멈추지 않는 레인 부츠
걸음걸음 멜로디가 되고

네 개의 신호등을 지나
세모 지붕 다다라서
1악장을 완성할 거야
톡 쏘는 향으로

넘치는 노랑은 유리컵에 받아
얼음 동동 띄우기
이다음을 위해

소낙비는 그치지 않고
나는 매일 써니 데이

알로하 레몬
알로하 레몬

팬레터

당신은 사랑 없이 발음할 수 없는 사람
새벽이 오면 연필을 쥐여 주는 이름
그럼 나는 반송될 걸 알면서도
가로등 한 그루 밝혀 놓고
들키고 싶은 혼잣말을 서성여요
금빛이 코앞입니다

체리를 동봉할게요
있는 듯 없는 듯 머물며
키우고 다잡은 빨강 꾸러미
혹시 향기 나는 인형 좋아하나요
내 삶의 주역은 당신 편으로 부쳤어요

편지글 사이사이
설익은 열매가 튀어 오릅니다
가장 고소해요

달과 고양이

언뜻언뜻
문이 열리면
기적처럼 네가 서 있다

샛말간 눈빛으로
아스라이 나를 들추며
다정히 웃는다

내 맘은 그을려
긴긴날 쓰릴 텐데

달은 다시
안녕 없이 구름 뒤로

한동안 커튼을 친다

언제나 여름 방학

언니 나 말이야
벌집에서 꿀을 땄다는
소녀의 틀린 편지가 좋아서
밤새껏 소녀를 상상하다가

그러니까 너
하룻낮 방울땀 꿰며
흐르는 별을 채집했니
삐뚤빼뚤 답장하다가

손쓰지 못하고
애틋해졌는데

소녀를 발췌하면 시가 된다
시를 낭송하면 사랑이 돼
알고 있었어?

언니 나는 요즘
지우개 없이
틀린 일기를 쓰고 싶어

왠지 그래

어바웃 쁘띠

통통한 포도가 탐스럽게 인쇄된
젤리의 껍질을 조심조심 벗기면
유록빛 속살이 새뽀얗게 까아꿍
인사하걸랑

아이스크림 스푼 어른 숟가락
번거로워 그냥 입술 먼저 촙
맞대고 매끄당 단물을 마셔 봐

온 감각이 포도 젤리를 향해
팽창하는 순간, 놓치지 마
와앙 베어 물 타이밍이야

여린 볼따구니 가득
풍선껌이 터지는 감촉
상큼은 햇솜보다 가볍지만
들뜬 건 아니구, 오래 남아

포슬포슬 여운을 주잖아

무뚝뚝 동생에겐 가슴이 뻥 뚫리는 맛
꿈 많은 나에겐 자라서 되고 싶은 맛

또는

초여름, 사랑에 빠진 빗물의 맛?

LOVE

러브,
숨 가삐 라켓을 내저어도
한결같이 무득점
아무것도 남길 수 없는
이상한 경기

그래, 러브
잠시나마 영원을 약속해도
펜촉은 매정히 비껴가서
다시 만나고 싶다면
수십만 리의 에움길을
돌고 돌아야 하는
장밋빛 고통

그래, 서 러브
양 볼 넘나들며 달코롬 구르는
동그라미 음성
끈적한 알사탕

음, 음, 러브
와 영

쪼갤 수 없는
필연적 동의어

---

*러브: 테니스에서 무득점(0포인트)을 일컫는 용어

깜깜나라 유리 문어

달아나고파
높이 그리고 멀리
휘영청 눈부신 달기둥을 밟고
반딧불이 촘촘한 밤물결을 건너
초대받지 않은 곳으로

일평생 천체가 들어붓는다
고래는 울었을까
있는 힘껏 깊은 파랑
나는 오도카니 부유하며
세계의 안녕을 바랄까
거듭 무거워진다

바다의 괄호는 결국
부식될 것 같아
그렇지 않니
달아나지 못하고
높이 그리고 멀리

B.F.

온갖 모서리 굽어 흐르고
별을 잇는 필라멘트 소란한 자정에
마주 앉아 상아색 말풍선을 부풀리며
너와 난 목숨 걸고 웃었다

밤양갱 야금야금 좀먹히는 사이
길 잃은 행성에서 벌어진 사고였다

반가워 검은 개

깨금발이 아파요
살얼음을 걸어왔어요
쉬어 갈게요
내리쬐는 검정은 그늘이에요
병든 기억에게 해열제를 먹이고
케케묵은 보퉁이를 추슬러요
우린 이걸
기묘한 휴식으로 정의해도 돼요
서두르지 않아요
시간을 벗어 가지런히 깔아요
어떤 것들은 빛으로 말릴 수 없어요
잠시 눈을 감고 공상해요
무력하게 늘어져요
어둠별에 다녀올래요
아니요 아니
약속할 순 없어요
그곳은 멀어요
아주 멀어요

낭만은 비스킷 같이

꽃시계 만발할 무렵
실구름이 걸린 원두막에서 만나

주머니 속 휘파람 꼼지락거리며
음미하는 산마루의 에펠 탑
세차게 나리는 빛줄기를
우리는 사랑하잖아

네 앞에선
잘못된 어법이 시적 자유로 환생하고
처마 끝 무더위가 얼어붙겠지
수줍은 손깍지 제풀에 떨릴 만큼

빈 마음으로 와
꽃시계 우릴 가리키면
바람이 멈춘 원두막에서 만나

스노 글로브

봉선화를 발랐다면
이루었을 소원이다
길 없이 한 사랑도
솜뜬 주홍 따라
종종걸음 놓았을 거야

소년에게 전해 줘

가진 봄이 없어서
우리의 이듬해를 구하지 못했다고
믿었던 겨울은
잘 빚은 폭설이었으며
이제 나는
나는 어떤 표정을 지어야 할지
정말 모르겠다고

아, 늦은 잘못
태엽마저 고장일 때

54335

나쁜 버릇이에요
빙하가 녹기 전에 허겁지겁 잠기는 것
도시는 매일매일 송두리째 멸망하는데
아무렴 서로의 주근깨를 귀여워하며
물로 쓴 산문을 읽어 주는 것

땅콩을 먹기 위해 나란히 서
손톱을 깎았어요
하두 비벼 으스러진 껍질이
꼭 너 같애, 배를 움켜쥐자
폭죽이 터졌다네요

입안 결결이 외로운 지문들
오밤중 따라 부르는 유행가
이런 날이면 눈빛 맞대어
텔레파시를 연구해요
같이 울겠다고
하품까지 해 가며

단칸방 유령들

거미가 곰팡이를 모아 뜨개질하는 동안
여름은 창살에 괴어 부패하고 음절은
허물리지 않는다 눅눅하다 마침 날아오른
비행접시, 쪼는 빛깔, 누군가의 메가폰 외
삼십일 가지 단상

그만 미워하기로 해
하지 못한 말이 남아서 길어진 장마와
어름더듬 망설이는 구름의 꽁무니를
무지개를 감춘 채 질주하던 그날의
야간 소나기 그러니까 너를, 나를

젖은 지폐 두 장 물 빠진 청바지
빨랫줄에 매달았다 우울처럼 흔들린다
왜 꿈속 사진은 인화할 수 없는지
궁리했고 아무나 시인이 되었다
바퀴 달린 불행이 문턱을 넘어오자
더러 흐려진다 너테만 덩그렇다

무허가 상점

우리 동네 어귀에는 간판 없는 내 사랑
수많은 구름이 한 방향으로 드나든다

당분간 바빠질 거야 핑크색 떳국물을 닦느라
알쏭달쏭 방명록은 영원히 해독할 수 없고
무일푼 해님이 꾀꾀로 기웃거리니까 하여튼

넌 포말을 거슬러 받았다
삼 년 약정 애인처럼
영수증은 사양했고
생크림 카스텔라를 포장했다

배뚤어진 문짝 불어 터진 엄지
한철이 물러나며 흘리고 간 증표들
나는 책방이었다가 꽃집이었다가
다시 또 디저트를 작곡하며
그것들을 되풀이해 본다
주문이 밀렸다

싸구려 스팽글

그예 빈 통이야
눈부신 해달별 데이지 한 아름
모두 꺼내 주어서

어느 날 여자애 나를 찾아와
고이 웃었을 뿐인데

고백할까?
너의 양손 듬뿍 와글대는 그건
내가 기증한 천문학적 순정이라고

함부로 낭비해도 좋아
톡톡 털어 버려도 괜찮아 가뿐하지

가끔 덜떨어진 정이 너를
울리겠지만

어둔 꿈속 빛띠 나풀거리면
조용히 거두어 갈게
처음부터 없었던 것처럼

어쨌든 해피 엔딩

하루쯤은
단것을 먹다 잠이 들어도
내 이름이 읽히지 않아도

어김없이
태양은 식어 달이 되고
새벽하늘 따뜻할 텐데

공들여 쓴 인연보다
영수증에 휘갈긴 운명이
나를 웃게 해요 살아가게 해요,
사랑하게 해요

우울의 빛발
오직 나만을 비추거든
좋아하는 노랫말이 적힌
손바닥을 커닝하면서

견딜까요
버틸까요
주인공처럼

풀잎조차 버거운 건
내가 씨앗이라 그래요

실비조차 버거운 건
내가 양달이라 그래요

나는 길을 걷고, 사랑을 잃었다

2021년 9월 8일 초판 1쇄 발행
2021년 9월 8일 초판 1쇄 인쇄

지은이 | 서현종, 김가은, 김유리, 김혜진

책임편집 | 송세아
편집 | 이향, 박소라
제작 | theambitious factory
인쇄 | 아레스트

펴낸이 | 이장우
펴낸곳 | 꿈공장 플러스
출판등록 | 제 406-2017-000160호
주소 | 서울시 성북구 보국문로 16가길 43-20 꿈공장1층
전화 | 010-4679-2734
팩스 | 031-624-4527
이메일 | ceo@dreambooks.kr
홈페이지 | www.dreambooks.kr
인스타그램 | @dreambooks.ceo

ISBN | 979-11-89129-94-1

정 가 | 12,500원